Sapristi et les bandits

Sapristi et les bandits

Danielle Simard

Illustrations de Bruno St-Aubin

COLLECTION

SAUTE-MOUTON

ÉDITIONS
MICHEL
QUINTIN

Catalogage avant publication de Bibliothèque et Archives Cana

Simard, Danielle, 1952-

    Sapristi et les bandits

    (Collection Saute-mouton ; 33)
    Pour les jeunes de 6 ans et plus.

    ISBN 2-89435-317-0

    I. St-Aubin, Bruno. II. Titre. III. Collection: Saute-mouton
(Waterloo, Québec) ; 33.

PS8587.I287S36 2006   jC843'.54   C2006-940061-X
PS9587.I287S36 2006

Révision linguistique: Rachel Fontaine

Le Conseil des Arts du Canada / The Canada Council for the Arts — SODEC Québec — Patrimoine canadien / Canadian Heritage

La publication de cet ouvrage a été réalisée grâce au soutien
financier du Conseil des Arts du Canada et de la SODEC.

De plus, les Éditions Michel Quintin bénéficient de l'aide
financière du gouvernement du Canada par l'entremise du
Programme d'aide au développement de l'industrie de
l'édition (PADIÉ) pour leurs activités d'édition.

Gouvernement du Québec – Programme de crédit d'impôt
pour l'édition de livres – Gestion SODEC

ISBN 2-89435-317-0

Dépôt légal - Bibliothèque nationale du Québec, 2006
Dépôt légal - Bibliothèque nationale du Canada, 2006

© Copyright 2006

Éditions Michel Quintin
C.P. 340, Waterloo (Québec)
Canada J0E 2N0
Tél.: (450) 539-3774
Téléc.: (450) 539-4905
www.editionsmichelquintin.ca

0 6 M L 1

Imprimé au Canada

*À mes petits amis
de l'école Montcalm*

1

Jazzie

Cet automne, il n'y a pas un ouistiti plus célèbre que Sapristi. On voit sa photo dans tous les magazines et les journaux. C'est ainsi parce que Willi Demontigny, son maître, sera bientôt le mari de la belle Rosie.

Tout le monde connaît la vie de Rosie La Rock, la grande chanteuse. On a pleuré de joie à la naissance de ses deux enfants, Marie et Rémi. On a pleuré à gros sanglots quand son premier mari, Jos Lébobo, est décédé dans un accident de moto. Mais aujourd'hui, on se réjouit. Car Rosie a trouvé le nouvel homme de sa vie!

Rosie et Willi ont même réuni leurs deux appartements, au vingtième étage de la Tour des Quatre-Vents.

Presque tous les jours, des photographes guettent leur sortie. Et surtout celle de Sapristi! Il est si mignon, si plein de vie! Plusieurs journalistes ont déjà raconté comment Willi Demontigny a adopté le petit singe orphelin, en Amazonie[1].

[1] Voir *Sapristi, mon ouistiti!*, Éditions Michel Quintin.

Encore ce matin, Marie entre dans la cuisine en criant:

— Devinez de qui on parle dans le journal?

Willi n'a pas l'air content. Il lit le titre à haute voix:

— «Le ouistiti qui fait sourire Rosie». On dirait que tu te maries avec lui, dit-il à sa belle amie.

Sur la photo, la vedette serre tendrement l'animal, devant la Tour des Quatre-Vents. Et c'est vrai qu'elle sourit de toutes ses dents.

Quel jaloux, ce Willi! Tout en tournant les pages du journal, Rosie se moque de lui. Mais soudain, elle pousse un petit cri:

— Hi! Regardez ici: un autre ouistiti! Le zoo de Granby vient d'acquérir cette jeune femelle. Elle s'appelle Jazzie!

— Allons la voir avec Sapristi! s'écrie Marie.

Puis elle ajoute en roulant des yeux :

— Peut-être qu'ils vont devenir amoureux, tous les deux.

— Et qu'ils auront plein de petits, renchérit Rémi.

Willi rit, mais l'idée lui sourit.

— Pourquoi pas, il faudrait en parler aux autorités du zoo... Un de ces jours, c'est promis, nous irons faire un tour.

Une semaine plus tard, Marie entre dans la cuisine en soupirant :

— Devinez de qui on parle dans le journal...

— De Sapristi? fait Willi, avec ennui.

— Non, de Jazzie. Elle a été volée par des bandits!

La petite fille semble bouleversée. Willi doit lui expliquer :

— Les ouistitis sont des animaux rares, ma fleur. Pour en avoir un, certains collectionneurs sont prêts à payer de

12

grosses sommes. Voilà pourquoi il y a des malfaiteurs spécialisés dans le trafic des animaux exotiques.

— Ça veut dire qu'ils pourraient voler Sapristi aussi? demande Marie.

— S'ils savent où le trouver.

— Mais tout le monde connaît l'existence de Sapristi! s'exclame Rosie. Sa photo a paru dans le même journal que celle de Jazzie. Et devant la

Tour des Quatre-Vents! Il va falloir être très vigilants. Finies pour lui les sorties avec seulement un enfant!

À ces mots, Marie s'écrie :

— Trop tard! Sapristi est parti avec Rémi!

2

Bien
mal pris!

Sapristi est ravi. Il bondit
dans l'herbe fraîche. Même si
Willi l'a interdit, Rémi a défait
sa laisse et court avec lui.

Ils ne remarquent pas la
voiture garée le long du grand
parc. À l'intérieur, un homme et
une femme les observent, les
yeux à peine dégagés sous
leurs chapeaux.

— Il me semble que c'est de la folie, dit la femme. Nous n'avons même pas ce qu'il faut pour les endormir.

— Réfléchis, Bettie! Nous n'aurons pas deux fois une telle chance. À notre premier guet devant la Tour des Quatre-Vents, le singe sort seul avec un enfant. Nous les suivons sans qu'ils nous voient. Et les voilà juste là, où il n'y a pas un chat!

— Mais quelle est ton idée, Bobbie? Les assommer?

— Ce ne sera pas nécessaire. Il y a de la corde dans le coffre de la voiture. J'ai un foulard et mon long manteau. Nous avons tout ce qu'il nous faut!

Quelques minutes plus tard, Rémi voit arriver un drôle de duo. Le monsieur doit avoir chaud sous son chapeau, puisqu'il porte sur le bras son manteau.

— Oh! Le joli kiki! s'écrie Bettie.

— C'est un ouistiti, lui apprend Rémi, tout fier qu'on admire son petit ami.

La femme s'accroupit et tend les doigts vers Sapristi. A-t-elle un biscuit pour lui?

L'animal approche son museau et… L'homme lui jette son manteau sur le coco! Puis il plaque sa grosse main sur la bouche de Rémi. Il lui tord un bras et le pousse au centre d'un bosquet, tout près. En moins de deux, le gamin est bâillonné, ligoté et abandonné au pied d'un sapin, derrière une haie de pins. Qui saura le retrouver dans ce fourré?

Le pauvre ouistiti, de son côté, n'a pas pu s'échapper!

La dame l'a vite enroulé dans le vêtement qu'elle tient serré, serré.

Il a beau forcer comme un gorille pour se dégager, planter ses griffes dans le tissu, c'est peine perdue! Il est emporté dans les bras de Bettie jusqu'à l'auto. Même ses cris sont étouffés sous l'épais manteau.

Leur précieux colis déposé au fond du coffre arrière, les bandits

prennent soin de le ficeler. Ils ne remarquent pas la deuxième voiture qui stationne à quelques mètres derrière. À l'intérieur de celle-ci, Willi, Rosie et Marie cherchent Rémi.

— Tu crois vraiment qu'il est ici? demande Rosie à Marie.

Marie ne répond pas. Elle regarde Bettie et Bobbie qui montent à bord de leur véhicule. Soudain, elle s'écrie :

— Ils viennent peut-être de voler Sapristi!

— Ne sois pas ridicule, se moque Willi. Nous sommes venus ici pour te rassurer, Marie. Mais je ne crois pas que Sapristi coure un si grand danger!

3

Cuisine en folie

Dans l'auto des bandits, Sapristi gémit et frémit. Il a du mal à bouger, il a du mal à respirer, il a si chaud, emballé comme un cadeau dans le gros manteau!

Au volant, Bettie exprime son mécontentement:

— Je veux bien capturer des bestioles pour de l'argent,

Bobbie. Mais ne compte plus sur moi pour attaquer un enfant.

— Il n'a pas une seule égratignure, ma chérie. Et on n'a pas pris une bestiole, comme tu dis. Cette fois-ci, on a mis la main sur des dizaines de ventes à gros prix. Dès que j'ai vu ces deux ouistitis dans le journal, je l'ai compris. Sapristi et Jazzie nous feront plein de petits!

— Nous voulions être chasseurs, Bobbie, pas éleveurs!

— Il faut saisir ce que nous offre la vie, Bettie.

Recroquevillé dans l'obscurité, Sapristi sent l'auto s'arrêter. Le coffre s'ouvre. Il entend la vilaine dame parler :

— Tu vas voir, mon champion. Nous allons te présenter une charmante guenon!

De nouveau, il est emporté dans ses bras. Une clé tourne dans une serrure. Une porte s'ouvre et... Bonheur! Une délicieuse odeur lui saute au museau et fait battre son cœur.

Soudain, il entend des cris perçants. Pas d'erreur! Il y a ici un autre ouistiti. Il y a ici un ami. Mais cet ami a peur pour sa vie!

— J'ai laissé une cage dans la cuisine, dit Bobbie.

Bettie le suit et dépose son colis sur le comptoir. Sapristi tend ses muscles et serre les mâchoires. Dès que s'ouvre le manteau, il bondit comme un ressort et atterrit sur la tête de Bettie. Là, il rebondit si fort qu'il s'accroche au haut des armoires!

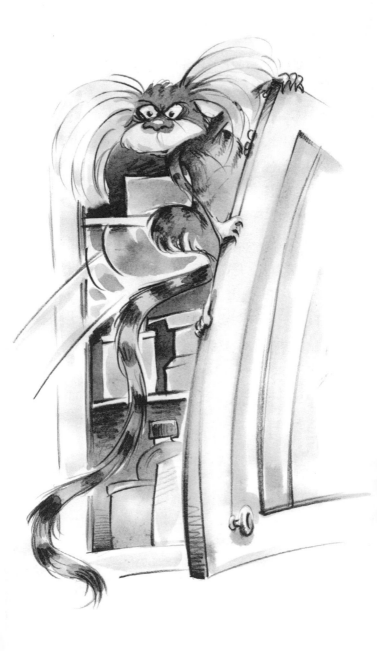

L'une d'elles est ouverte! Sapristi décide d'en lancer toutes les assiettes. Dans la cuisine, des dizaines de soucoupes volantes se fracassent en mille miettes. Bobbie et Bettie se jettent sous la table.

Avec ses fortes griffes, Sapristi ouvre sans embarras une deuxième porte. Des verres et des tasses volent

maintenant en éclats. Et hop! Le ouistiti en folie saute dans une troisième armoire!

Il se met à y déchirer les boîtes et les sacs. Le riz vole en confettis, suivis des macaronis, du muesli et des biscuits. Ensuite, c'est l'hécatombe : quatre pots de confiture, une bouteille de vinaigre et deux bouteilles d'huile s'écrasent au sol comme des bombes!

Mais à quoi bon s'attaquer au plancher? Bettie et Bobbie sont trop bien cachés et Sapristi se sent fatigué. Il décide de se reposer. L'endroit est tout indiqué, sur la plus haute tablette, à l'abri de gros quatre litres d'eau embouteillée.

— Ouf, une accalmie! chuchote Bettie.

Elle étire le bras de sous a table et attrape le grand

manteau qui pend toujours du comptoir. Puis elle explique son plan à Bobbie :

— Nous allons atteindre l'armoire sur la pointe des pieds et refermer la porte sur lui. Dès que je vais l'ouvrir, il voudra nous fuir. Mais tu l'attraperas aussitôt dans ton manteau. D'accord, mon beau?

— Oui, mais il ne faut pas le rater. Il va tout de même sauter de haut. Je ferais mieux de monter sur l'escabeau.

Les deux bandits quittent leur refuge. Bettie pense qu'elle ne fait pas de bruit : elle avance à pas de souris. Mais les ouistitis ont l'oreille très fine. Pour sauver sa peau, Sapristi commence à pousser de toutes ses petites forces sur les gros bidons d'eau. Millimètre par millimètre, ils progressent vers le bord de la tablette.

Bobbie, lui, va chercher l'escabeau. Puis il sautille vers son amie comme un petit oiseau. Même que bientôt, il décolle. Son pied a glissé dans l'huile. Il s'envole et... Paf! Il frappe Bettie qui tombe par terre, tête première. L'homme, la femme et l'escabeau filent sur le riz comme en traîneau et... Patapaf! Ils s'écrasent juste en bas de l'armoire.

4

Où est Sapristi?

Pendant ce temps, Rémi pleure sous les sapins du parc. Il essaie de crier, mais le foulard de Bobbie lui ferme la bouche trop serrée. Il entend les voix de Willi, Rosie et Marie, juste à côté!

— Bon, ça suffit! dit Rosie. Rémi n'est pas venu au parc ou alors, il en est reparti.

— On l'aurait vu! s'écrie Marie. Il est venu ici, j'en suis convaincue. Et s'il n'y est plus, c'est qu'il a disparu!

Willi se montre impatient:

— Finis les chichis, Marie! Nous avons perdu assez de temps. Allez, hop! À l'appartement!

Rémi se met à frémir. Oh non! Ils ne vont pas repartir! Il cherche désespérément un moyen d'agir. Ses bras sont ligotés au tronc du sapin, mais ses jambes, elles, ne sont attachées que l'une à l'autre. S'il les étire, il pourra peut-être coincer entre ses pieds la branche basse d'un petit pin. Mais oui, il a réussi!

Rémi secoue la branche avec une folle énergie. Le petit pin

tremble si fort que les oiseaux s'enfuient. Toute cette agitation attire enfin l'attention de Marie.

— Regardez! lance-t-elle en plongeant dans le fourré.

À peine lui a-t-on enlevé son bâillon, que Rémi s'écrie:

— On a volé Sapristi! Un homme et une femme avec des chapeaux enfoncés sur la tête!

Willi se tape le front.

— Oh! Pardon, Marie, tu avais raison.

— Dire qu'on aurait pu relever le numéro de plaque de leur auto, se désole Rosie.

— Mais je l'ai fait! s'exclame Marie: RRM 122. C'était facile! La première lettre de **R**osie, **R**émi et **M**arie, plus le **12** du

2e mois de l'année, comme ma fête! Je vous l'avais bien dit qu'ils étaient des bandits!

Vite, Willi prend son cellulaire et appelle la police.

Le lendemain, Marie entre dans la cuisine en criant :

— Devinez de qui on parle dans le journal!

— De Sapristi! s'écrient Willi, Rosie et Rémi.

— Et de Jazzie! précise Marie.

Dans l'article, on explique comment les policiers ont trouvé les bandits assommés dans leur cuisine. Les pauvres avaient été bombardés à l'aide de gros bidons d'eau. Bien sûr, Sapristi n'a pas pu se vanter de cet exploit, mais il en est bel et bien le héros!

Alertés par ses petits cris, on a découvert à l'étage le ouistiti au grand courage. Lui et Jazzie se serraient l'un contre l'autre, de chaque côté des barreaux d'une cage.

Les nouveaux amis ont eu du mal à se séparer. Après tout, Bobbie et Bettie n'ont pas eu une si mauvaise idée. C'est du moins ce que l'on croit au zoo de Granby : quand Jazzie sera prête, Sapristi pourrait bien être le papa de ses petits. Aussi, le journal ajoute que Willi Demontigny a promis de leur prêter un jour son ouistiti.

— Et vous savez ce qu'ils ont encore écrit? demande Marie.

Tout le monde rit quand Rémi lui arrache le journal et lit :

— « Sapristi fait comme Willi. Il se marie, lui aussi! »

Table des matières